LE MASQUE D'EL TORO

Vous aimez les livres de la série

LES AVENTURES DE
JACKIE CHAN

Écrivez-nous pour nous faire partager
votre enthousiasme :

Pocket Jeunesse - 12, avenue d'Italie - 75013 Paris

LES AVENTURES DE JACKIE CHAN

Le masque d'El Toro

Une novélisation de Megan STINE
d'après le dessin animé « Le masque d'El Toro »
écrit par Duane CAPIZZI

*Traduit de l'américain
par Christine Bouchareine*

POCKET
jeunesse

Titre original :
Sign of the Ox

Publié pour la première fois en 2001
par Grosset & Dunlap, un département de
Penguin Putnam for Young Readers, New York.

Loi n° 49-956 du 16 juillet 1949 sur les publications
destinées à la jeunesse : janvier 2003.

Droits pour la traduction française et la présente édition,
Pocket Jeunesse, département d'Univers Poche.

ISBN 2-266-12896-5

Tu aimes le karaté ?
Tu as envie de lire des exploits incroyables ?
Alors, dévore

LES AVENTURES DE
JACKIE CHAN

L'aventure continue...

Bonjour ! Je m'appelle Jackie. Je suis archéologue. Je recherche les trésors anciens et je les étudie afin de comprendre comment les gens vivaient autrefois.

Tout a commencé le jour où j'ai découvert en Bavière un bouclier d'or. En son centre était enchâssée une pierre octogonale, dotée de pouvoirs magiques. C'était un talisman !

D'après la légende, douze talismans seraient dispersés aux quatre coins de la planète. Chacun porte le dessin d'un animal et exerce un charme particulier.

Celui qui parviendra à réunir les douze talismans détiendra un pouvoir inimaginable !

Or, la Main Noire, une organisation criminelle, veut s'en emparer pour dominer le monde !

Aussi ai-je pour mission de les trouver avant elle.

Je n'ai pas eu de mal à découvrir le talisman du coq, mais celui du bœuf était caché dans un endroit vraiment inattendu…

Chapitre 1

— **C**omment un vieux talisman chinois peut-il être caché au Mexique ? Il devrait se trouver en Chine, marmonna Jackie Chan.

Il arrivait au sommet d'une pyramide aztèque qui abritait un vieux temple, quand il crut entendre un bruit derrière lui. Encore un espion ? Et pas des plus discrets, celui-là !

Non, c'était juste le vent. Le vent, ou… ?

« Je dois me faire des idées… », pensa-t-il. Mais il ne savait pas que cinq de ses ennemis le suivaient ! Tous des gangsters de la Main Noire, un groupe de criminels qui rêvaient d'étendre leur pouvoir sur le monde ! À côté de Valmont, leur chef, se tenait un certain Finn qui, sans se faire remarquer, observait Jackie aux jumelles.

— Chan est sur le point d'entrer dans le temple, dit-il. Allons-y.

Après une descente interminable dans l'obscurité la plus totale, Jackie parvint enfin dans la chambre secrète, au cœur de la pyramide. Là il consulta sa carte à la lueur d'une lampe de poche. Il examina attentivement le dessin du trésor qu'il cherchait, le fameux talisman du bœuf. Celui-ci était caché à l'intérieur d'une sculpture en or qui représentait une tête de bœuf.

Jackie balaya du faisceau de sa lampe les parois de la salle.

— La voilà ! Enfin ! s'écria-t-il en repérant la tête au centre d'un mur.

Il mit un doigt dans chacun des naseaux. La mâchoire s'ouvrit, produisant un craquement sourd.

Jackie laissa échapper un cri de surprise. Vide, elle était vide ! La tête avait été dépouillée de son précieux trésor ! Le talisman avait disparu !

Soudain, Jackie se retourna, intrigué par un bruit de pas. Valmont et ses hommes firent irruption dans la salle.

— Où est le talisman ? rugit Valmont devant la cachette qui ne contenait rien.

— Aucune idée, répondit Jackie, sans se départir de son sang-froid.

— Menteur ! hurla Valmont en se ruant sur lui.

Il le renversa et le maintint au sol, un genou sur la poitrine.

— Mon ami Tohru saura te faire retrouver la mémoire, ajouta-t-il avec un sourire mauvais.

Au même moment, une ombre gigantesque s'abattit sur l'archéologue. Le sol trembla. Tohru entrait dans la chambre secrète. Le colosse était grand et fort comme dix hommes réunis.

« Oh, non, gémit intérieurement Jackie. Pas Tohru ! »

La brute l'arracha du sol.

— Où est le talisman ? aboya Tohru.

Il secoua le jeune homme par les pieds pour voir s'il ne le cachait pas dans ses poches. Puis il le plaqua contre un mur d'une seule main.

— Il a disparu, je vous le jure. Quelqu'un est passé et s'en est emparé avant moi.

— Je ne te crois pas, arrête tes salades.

Le géant s'apprêtait à lui assener un monstrueux coup de poing sur la figure. Il s'arrêta net : un cri horrible lui avait glacé le sang.

— Mwooooouw… !

… Juste derrière Tohru, une horrible momie sortait de l'ombre.

Chapitre 2

La gigantesque créature toute desséchée avançait en agitant ses bras osseux et en poussant des cris terrifiants. Valmont et ses hommes détalèrent sans perdre une seconde. Seul Tohru le valeureux resta. Jackie remarqua alors qu'une fillette se dissimulait dans l'ombre de l'apparition.

— Jade !

C'était à peine croyable !

Une fois de plus, sa nièce n'en faisait qu'à sa tête ! Que venait-elle faire ici ? Jouer à la marionnette avec une momie ?

— Mwooooouw ! hurla à nouveau la fillette.

Tohru regardait la momie, pétrifié. Il n'avait pas compris.

Jackie en profita pour se glisser hors des griffes du monstre. Il se rua sur sa nièce, l'attrapa sous le bras comme si elle était un ballon de rugby et fonça vers la sortie. Il dévala quatre à quatre les marches de la pyramide puis disparut dans la jungle.

— Ne regarde pas en arrière ! lança-t-il à Jade sans cesser de courir.

Jade ne put s'en empêcher : Valmont et ses cruels acolytes étaient à leurs trousses.

— Plus vite, Jackie, plus vite ! Ils sont à moto. Ils nous rattrapent !

— Mais quelle idée de venir te fourrer dans ce guêpier ? haleta Jackie. Nous avions conclu un marché. Tu m'avais promis de rester à l'hôtel pour faire tes devoirs.

— En attendant, tu es bien content que je sois là ! souffla-t-elle.

— C'est vrai. Merci. Mais la prochaine fois, passe plus de temps sur tes leçons. C'est beaucoup moins dangereux ! Je sens que ça va mal finir !

Jade tendit l'oreille. Les motos se rapprochaient inexorablement. Jackie avisa alors un deltaplane, perché au bord de la falaise. Un jeune homme en short et en sandales veillait aux derniers préparatifs avant le décollage.

Déterminé à échapper à ses poursuivants, Jackie le bouscula. Il s'empara du deltaplane sans lâcher sa nièce.

— Désolé, je vous le rendrai, c'est

promis ! cria-t-il en s'élançant dans le vide.

— Waouh ! s'écria Jade impressionnée par l'immensité bleue qui défilait sous leurs pieds.

Elle se retourna vers la falaise. Bloqués sur leurs motos au bord du précipice, Valmont et ses hommes semblaient fous de rage.

C'était vraiment cool d'être la nièce de Jackie Chan !

Jackie et Jade avaient laissé l'océan derrière eux et survolaient maintenant la campagne mexicaine.

— Comme c'est beau ! s'émerveilla-t-elle.

— Nous allons atterrir ici, décida Jackie en se posant aux abords d'une charmante petite ville.

Les deux compères abandonnèrent le deltaplane et s'engagèrent dans une rue animée.

— Jade, je vais me renseigner pour savoir si quelqu'un aurait entendu parler du talisman, annonça Jackie. Attends-moi là, continua-t-il en s'engouffrant dans un magasin.

Elle obtempéra sans protester. Mais à peine son oncle eut-il tourné le dos qu'elle se dirigea vers un groupe de musiciens qui jouaient non loin de là.

— *Ola !* lui lança en espagnol un jeune garçon brun aux cheveux raides.

Elle l'observa avec attention. Il devait avoir à peu près son âge.

— Je m'appelle Paco, continua-t-il. Que faites-vous ce soir, charmante jeune fille ?

— Je rêve ! Ne me dis pas que tu veux

sortir avec moi ! s'exclama Jade en faisant une grimace.

— Non, non, pas du tout. Je rameute seulement des spectateurs pour mon idole, El Toro Fuerte !

— El quoi ?

— El To-ro Fou-er-té ! articula-t-il distinctement.

Il déroula une affiche. Un catcheur masqué était représenté, avec écrit en gros, au-dessus, EL TORO FUERTE. Ce qui signifiait « le taureau puissant ».

— C'est le plus grand catcheur du Mexique ! Il n'a jamais perdu un seul match. Il combat ce soir.

— Oh, le catch, tout le monde sait que c'est du chiqué ! protesta Jade.

— El Toro Fuerte n'est pas un bluffeur ! Si personne ne l'a jamais battu, c'est parce qu'il est le meilleur !

— Ah oui ? Tu crois ? Tu vois cet homme, là-bas ? dit Jade en montrant son oncle qui sortait du magasin. C'est lui le plus fort du monde.

Paco éclata de rire.

— Ce microbe ! Mais il est à peine plus gros qu'une souris !

— Et alors ? Il peut écrabouiller ton copain.

— N'importe quoi !

— Tu veux parier ?

— S'il est aussi bon que tu le prétends, qu'il le prouve ! Ton microbe n'a qu'à venir affronter El Toro ce soir !

— D'accord ! Marché conclu !

— Parfait. Amène ton minus à l'arène, et on verra qui est le meilleur !

Chapitre 3

— **N**on, Jade, il est hors de question que je me batte avec qui que ce soit, déclara Jackie dès que sa nièce lui apprit ce qu'elle attendait de lui.

— Mais, Jackie, tu ne peux pas me laisser tomber. J'ai dit à Paco que tu étais le meilleur lutteur du monde. Vas-y, tu dois le prouver !

Jackie lui passa affectueusement le bras autour des épaules.

— Écoute-moi bien, Jade. Il ne faut jamais se battre pour le plaisir mais seulement quand on y est forcé.

— Cool ! C'est justement le cas. Quand tu monteras sur le ring et qu'El Toro commencera à te frapper, il faudra bien que tu te défendes.

— Ce n'est pas ce que je voulais dire !

— Je t'en prie, Jackie. Surtout que tu n'as rien d'autre à faire ce soir.

— Ah bon ? Et le talisman, tu l'as oublié ?

— Quoi, le talisman ? Il peut se trouver n'importe où ! Et même à des millions de kilomètres !

« Elle a raison », songea Jackie.

Il posa les yeux sur l'affiche qu'elle tenait et regarda le portrait d'El Toro, le catcheur. Et là il vit, cousu au beau milieu de son masque, le symbole du bœuf !

Et s'il s'agissait du talisman ? Aussitôt, sa motivation changea !

— D'accord. Nous irons au match ce soir. Le talisman pourrait bien se trouver juste sous mon nez.

L'arène était remplie d'une foule agitée et bruyante. Paco vint les accueillir.

— Salut, microbe ! Alors tu viens affronter El Toro Fuerte ?

— Non, je ne viens pas pour ça, le détrompa aussitôt Jackie en s'asseyant. Je voudrais savoir ce que signifie ceci ?

Il lui montra la tête de bœuf sur l'affiche.

— C'est l'emblème d'El Toro Fuerte. Parce qu'il est fort comme un bœuf.

Jackie se leva d'un bond.

— Il faut que je lui parle !

Et sans plus se préoccuper ni de sa nièce ni de Paco, il se dirigea vers les coulisses et trouva sans mal la loge du catcheur.

Il frappa.

— Oui ? répondit El Toro du fond de la pièce.

— C'est la blanchisserie. Il y a eu une erreur. Votre masque n'a pas été correctement nettoyé.

— Impossible ! El Toro ne l'enlève jamais.

Jackie réfléchissait à cent à l'heure. Il devait exister un moyen d'entrer !

Mais soudain, il sentit qu'on le saisissait par les chevilles et… se retrouva suspendu, tête en bas, entre les mains de l'énorme Tohru !

Chapitre 4

— **B**onsoir, Chan, grommela Tohru.

— Tu ne pourrais pas me lâcher un peu ! soupira Jackie en se balançant au-dessus du sol.

Et sans laisser au géant le temps de lui répondre, il attrapa les revers de son pantalon et tira d'un coup sec. Tohru se retrouva brusquement dans un caleçon ridicule, imprimé de petits bonshommes.

Son réflexe fut de lâcher Jackie aussitôt pour se rhabiller.

D'un puissant jeté de jambes, Jackie l'envoya rouler par terre. Il entendit un bruit de cavalcade à l'extérieur. Les hommes de la Main Noire arrivaient !

Jackie s'enfuit dans le couloir et chercha un endroit où se cacher. Il essaya d'ouvrir les portes des deux loges suivantes ; malheureusement, elles étaient fermées à clé. La troisième fut la bonne. Il se glissa à l'intérieur. Ouf ! La pièce était vide. Sur un fauteuil, il aperçut un masque avec une cape jaune et bleu.

Le déguisement rêvé !

Vêtu de ce costume, il sortit dans le couloir et croisa les hommes de la Main Noire en retenant son souffle.

— Les idiots, ils ne m'ont pas reconnu ! gloussa-t-il.

Mais au même instant, il sentit une main ferme se poser sur son épaule.

— C'est l'heure, déclara une voix masculine derrière lui.

« L'heure ! L'heure de quoi ? » se demanda-t-il anxieusement.

L'homme écarta un rideau et le poussa… sur le ring !

— Oh, non ! gémit Jackie. Me voilà piégé ! Il me prend pour un catcheur.

— Bonsoir, mes amis, annonça le présentateur dans le micro. Ce soir, vous allez voir deux géants s'affronter !

Une clameur monta de la foule en délire.

— Ici, nous avons Le Poulet Masqué… hurla-t-il en montrant Jackie, et là (il pivota vers le champion), voici… El Toro Fuerte !

Le public lui fit une ovation.

« Hou là là, qu'il est gros ! » pensa Jackie en observant son adversaire.

L'emblème luminescent sur son front attira soudain l'attention de Jackie. Le bœuf rougeoyait !

— Ce soir, l'un de ces deux hommes boira la coupe de la victoire, continua l'animateur. Tandis que l'autre sera démasqué !

« Démasqué ! Quelle bonne idée ! pensa Jackie. Si je bats El Toro, je n'aurai qu'à saisir son masque pour m'emparer du talisman. Jade avait raison, pour une fois. Je n'ai pas le choix, je dois combattre. »

Il jeta un œil décidé vers les gradins. Jade et Paco étaient assis juste en face de lui.

Déterminé à vaincre son rival, le jeune homme rassembla ses forces et se concentra.

Ding ! La cloche sonna le début du match.

Plus vif que lui, El Toro chargea Jackie et lui assena un coup d'épaule en pleine poitrine.

Jackie vola dans les cordes, rebondit et s'écrasa au tapis.

— Toro ! Toro ! Toro ! scandèrent les supporters.

« Debout ! » se dit Jackie.

Mais des étoiles tournaient devant ses yeux. El Toro possédait une force stupéfiante.

— Bon, fini de s'amuser, murmura-t-il en se relevant.

Il poussa un cri aigu pour canaliser son énergie, prit son élan d'une pirouette puis lâcha son coup, percutant pieds en avant la poitrine de son adversaire.

Mais El Toro le saisit au vol par les chevilles, puis il le brandit à bout de bras, l'abattit violemment sur le sol et se laissa tomber sur lui de tout son poids.

— Aïe ! hurla Jackie qui ne pouvait plus bouger.

Il voulut se redresser. C'était au-dessus de ses forces.

Il essaya de soulever la tête. Impossible !

— Si je ne me relève pas, je perdrai le match… et le talisman ! gémit-il.

Chapitre 5

L'arbitre compta jusqu'à trois.

Jackie ne bougeait toujours pas.

— Et voici le gagnant : El Toro Fuerte !

Le catcheur leva les bras d'un geste triomphal sous les applaudissements enthousiastes.

Tandis que l'arbitre se penchait vers Jackie et lui arrachait son masque, les spectateurs hurlèrent de plus belle.

Jackie entendit vaguement les acclamations : il perdait peu à peu conscience.

Son vieil oncle lui apparut dans un brouillard. Rêvait-il ou était-ce la réalité ? Il reconnut alors sa voix.

— Jackie, n'oublie pas que chaque talisman a des pouvoirs différents.

— Oui, oui, mon oncle. Il y en a douze et à chacun correspond un animal distinct. Comme dans le zodiaque chinois.

— Je n'ai pas fini. Que t'est-il arrivé ? Tu t'es écroulé bien vite.

— Il était vraiment trop fort !

— Hum… Peut-être que le talisman du bœuf donne une force magique.

— C'est ça ! C'est évident !

— Je n'ai pas fini…

— Quoi encore ?

Son oncle avait toujours quelque chose à ajouter. Il le frappa sur le front.

— Ouille ! gémit Jackie en ouvrant les yeux.

L'image du vieil homme se dissipa. Jade était penchée sur lui.

— Jackie, lève-toi. Le match est fini. Tout le monde est parti.

— L'oncle m'est apparu. Il m'a dit que c'était le talisman du bœuf qui donnait à El Toro cette force surhumaine.

— Je le savais ! s'exclama Jade en tapant du pied. Quelle tricherie, ce catch !

Jackie se releva à grand-peine, le corps tout endolori.

— Viens, Jade. Je dois retrouver El Toro avant Valmont et ses voyous.

Hélas, à peine sorti de l'arène, il vit El Toro déjà aux prises avec Tohru.

— Donne-moi ce masque ! hurla la brute en se ruant sur le catcheur.

El Toro, d'un mouvement aussi souple que puissant, le souleva au-dessus de sa tête, le fit tournoyer et le jeta sur la route : la chaussée s'affaissa sous le poids du géant.

— Waouh ! s'exclama Jade tandis que le catcheur s'éloignait. Il a mis Tohru K.-O. C'est le premier à y arriver !

— Je t'avais bien dit que c'était le plus fort du monde, crâna Paco, qui s'était caché derrière une voiture.

Le jeune garçon rayonnait de fierté.

— Oui, mais c'est grâce au pouvoir du talisman, corrigea Jackie. Et il devrait se méfier de Valmont. La Main Noire n'a pas dit son dernier mot.

— Que vas-tu faire ? demanda Jade.

— Je dois le prévenir sans tarder.

Il tourna la tête et crut voir quelqu'un bouger dans l'ombre.

— Trop tard. Ils sont déjà là !

Chapitre 6

Une flopée de silhouettes couraient dans les ruelles sombres.

— L'Armée des ombres est là, hurla Jackie.

La Main Noire envoyait ses ninjas s'emparer du talisman.

— Vous deux, restez là ! ordonna l'oncle de Jade en se ruant vers la place du village.

Mais les deux enfants désobéirent, une fois de plus. Quand ils arrivèrent sur la place, ils aperçurent Jackie et El Toro près d'une fontaine. Au même moment, une nuée de ninjas envahit le square, bloquant toutes les issues.

— Attention, Jackie ! cria Jade tandis qu'elle poussait Paco sous un porche, à l'abri des regards et des coups.

Trois ninjas sautèrent sur le dos de Jackie. D'un mouvement brusque des épaules il réussit à s'en débarrasser. Mais deux autres ninjas se ruaient déjà vers lui.

— Hiiiéééiii !

Jackie tourbillonna sur lui-même et repoussa ses adversaires d'une volée de coups de pied. Il arracha un poteau, telle une pique dans une olive, et le brandit devant lui comme une arme.

Jade et Paco assistaient au combat.

— Je t'avais bien dit que Jackie déménageait, dit Jade, pleine d'admiration pour son oncle.

— C'est vrai. Mais El Toro déménage encore plus.

— C'est pas vrai.

— Si

— Non.

— Si.

— Non.

Une file ininterrompue de ninjas s'attaquait à El Toro. Il les repoussait les uns après les autres.

— Tu vois, dit Paco. C'est mon héros qui gagne. El Toro est réellement le meilleur.

Jackie voulut aller à la rescousse du catcheur. Mais El Toro l'attrapa sans le regarder et l'assomma contre un mur.

— Ouais ! Ton copain est vraiment trop fort ! soupira Jade, un peu inquiète.

Un ninja sauta sur le toit d'une maison voisine. Il était armé d'une longue chaîne terminée par une énorme ventouse. Il la fit tournoyer au-dessus de lui et la lança.

Ploc ! La ventouse s'abattit sur la tête d'El Toro et se colla à son masque.

Le ninja tira d'un coup sec. *Sleurp !* La ventouse arracha le masque du visage du catcheur !

— Quoi ?! s'écria El Toro, les traits déformés par la terreur.

Deux ninjas se jetèrent sur lui et le renversèrent.

Il resta allongé dans la poussière. Sans le pouvoir du talisman du bœuf, il n'avait plus aucune force.

— Nonnnnn ! gémit Paco en voyant son héros vaincu.

— Jackie ! hurla Jade.

Mais son oncle ne s'était toujours pas remis du coup que lui avait assené El Toro.

Elle vit alors Tohru descendre la rue. Le ninja lui tendit le masque. Tohru en arracha le talisman et se dirigea vers une jeep qui devait le conduire à la Main Noire.

— Partons, dit-il au chauffeur.

Mais soudain, il se ravisa et revint sur ses pas.

— Que fait-il ? s'inquiéta Jade.

À pas lourds il s'approcha de Jackie et contempla son corps inerte et sans défense.

— Emmenons-le. Ce sera notre trophée !

Et au grand désarroi de Jade, il souleva Jackie et le balança comme un sac à l'arrière de la voiture qui disparut au bout de la rue.

Chapitre 7

— Jackie ! hurla la fillette en voyant la jeep s'évanouir dans un nuage de poussière.

Que faire ?

Comment le sauver ?

Paco, derrière elle, regardait El Toro inanimé.

— Jade avait raison. Vous n'êtes qu'un bluffeur !

El Toro se tourna vers Paco.

— Je suis désolé de t'avoir déçu, répondit-il tristement.

Jade s'agenouilla près de lui.

— Ce n'est pas le moment de s'excuser. Levez-vous. Nous devons sauver Jackie.

— Je ne peux aider personne. Paco dit la vérité. Je ne suis qu'un imposteur.

— Et alors ? Vous pouvez au moins essayer, non ? Allez, debout, mollasson !

Elle essaya de le tirer mais il était tellement lourd qu'elle ne put le bouger.

— Sans le pouvoir du talisman, je ne suis plus rien.

— Arrêtez vos bêtises ! Vous devez secourir Jackie. Courage !

— Je ne peux rien faire sans le masque.

— N'importe quoi ! Jackie m'a dit un jour : « Les sages puisent leur force en eux-mêmes. Seuls les fous la cherchent chez les autres. »

— Hein ?

— Ouais. Moi aussi, je me demande où il va chercher tout ça. Mais vous savez ce que ça signifie, n'est-ce pas ?

— Non ! Je n'en ai pas la moindre idée !

— Ça signifie que vous ne laisserez pas une petite fille se battre seule contre ces grosses brutes ! Pas vrai ?

— Oui, tu as raison, répondit El Toro, regagnant confiance.

Il se remit debout avec difficulté.

— Nous reviendrons ! lança Jade à Paco tandis qu'elle entraînait El Toro sur la piste de Jackie.

Les traces de la jeep les conduisirent à un aéroport privé, dissimulé dans la jungle. Jade aperçut Tohru et Finn à bord d'un petit avion-cargo.

— Regardez… dans l'avion… Finn est en train d'attacher Jackie ! cria Jade.

Son oncle avait les deux bras entravés par des cordes. Mais ses jambes étaient encore libres.

Jade réfléchit rapidement.

Elle sauta sur les épaules d'El Toro pour atteindre la porte de l'avion.

— Toc, toc, toc, fit-elle en se penchant dans l'embrasure.

Finn laissa échapper la corde avec laquelle il ligotait Jackie et regarda bouche bée la fillette intrépide.

— Qu'est-ce que tu fiches là, sale petite fouineuse ? Viens que je t'apprenne les bonnes manières !

Jackie profita de cette diversion pour éjecter Finn de l'avion d'un coup de karaté. Le bandit s'écrasa sur le tarmac, K.-O.

— Bravo, ma ruse a réussi ! s'écria Jade.

El Toro souleva Jackie dans ses bras et le redescendit sur le sol.

— *Ola*, Jackie ! le salua Jade en espagnol.

Soudain, ils entendirent les moteurs se mettre en marche.

— Non ! Non ! Ne les laissez pas décoller ! hurla Jackie. Le talisman est à bord !

Comme il avait encore les bras attachés et ne pouvait intervenir, Jade bondit sur les épaules d'El Toro et sauta dans la carlingue.

El Toro la suivit.

Jackie vit avec horreur la porte se refermer et l'avion avancer.

Il était toujours attaché. Et l'autre bout de la corde était enroulé autour d'une poulie qui se trouvait… à l'intérieur de la cabine !

L'avion s'engagea lentement sur la piste. Puis il prit de la vitesse…

— Ahhh !

Jackie courait à perdre haleine.

L'avion décolla. Et les pieds de Jackie quittèrent le sol. Il avait réussi à s'accrocher.

— Hissez-moi à l'intérieur ! hurla-t-il.

Jade se précipita à la porte et l'ouvrit. Elle saisit la corde mais ne put la tirer.

— Je ne suis pas assez forte !

Elle réfléchit une seconde. Pas assez forte ? Elle le serait si elle avait le talisman du bœuf !

Elle se rua dans le cockpit. Le talisman était posé au-dessus d'une boîte, sur le siège du copilote. Elle s'en empara.

Le pilote se jeta sur elle.

— Donne-moi ça !

— Vous pouvez toujours rêver !

Et elle le mit K.-O. d'un simple coup de pied.

— Ouais ! Regardez-moi ! Je suis Jackie Chan ! s'exclama-t-elle, folle de joie.

À peine eut-elle prononcé ces mots, qu'elle sentit l'avion piquer du nez !

— Oh, non !

Elle regarda l'homme qu'elle venait d'assommer.

Il n'y avait plus personne aux commandes.

Ils allaient s'écraser !

Chapitre 8

Au même moment, Jackie était lui aussi en très mauvaise posture. Le nœud s'était défait et la corde se déroulait, menaçant de se rompre d'une seconde à l'autre !

Clac ! C'était fait. Jackie parvint à attraper une extrémité. Progressivement, avec un effort surhumain, il réussit à remonter. Il atteignit la porte et se hissa tant bien que mal à l'intérieur. Sauvé !

Au milieu du cargo, Tohru était aux prises avec El Toro. Jackie vit alors le pilote allongé sur le sol du cockpit et comprit immédiatement le danger qu'ils couraient.

— Mais il n'y a plus personne aux manettes !

Les deux colosses se figèrent.

— Ahhhhh ! hurlèrent-ils à l'unisson en sentant qu'ils plongeaient vers le sol !

Ils coururent au cockpit et trouvèrent Jade, arc-boutée sur le manche, qui redressait peu à peu l'appareil.

— Qu'est-ce que vous attendez pour m'aider ? leur lança-t-elle.

— J'arrive.

Jackie se pencha au-dessus d'elle pour prendre les commandes. Et à eux deux, ils réussirent à poser l'appareil sans encombre, quelques minutes plus tard.

Ils roulèrent jusqu'à l'entrée d'un petit village où, comme par hasard, Paco les attendait !

Ils descendirent tous. Jackie, El Toro et Tohru se toisèrent, prêts à se sauter dessus.

— El Toro Fuerte, tu n'es plus mon héros ! lança Paco.

— Minute, Paco ! murmura Jade.

Elle remonta discrètement chercher le talisman.

— Tenez, monsieur Toro !

El Toro l'attrapa au vol et le contempla un moment.

— Non, merci, Jade. Je préfère perdre avec dignité plutôt que gagner en trichant.

Et il le lui rendit.

— Comme vous voulez ! bredouilla Jade, déconcertée.

Jackie et El Toro se ruèrent ensemble sur Tohru. Mais le géant était cent fois plus fort qu'eux deux réunis. Il en souleva un dans chaque main et leur fit traverser un mur de brique.

Jackie et El Toro retombèrent l'un sur l'autre au milieu des décombres.

— Alors, c'est qui, le plus fort ? demanda Tohru, les dominant de toute sa hauteur.

— Devinez ! répondit Jade en surgissant devant lui.

Jackie vit quelque chose rougeoyer à la ceinture de sa nièce.

Elle portait le talisman du bœuf !

Elle fonça sur Tohru.

— Yiiiiahh !

Et d'un bond digne d'un tigre, elle le percuta en pleine poitrine.

Propulsé par la force redoutable de la fillette, le géant traversa la place en vol plané. Il s'écrasa contre une maison qui ne résista pas au choc et s'écroula comme un château de cartes.

Jade se frotta les mains, radieuse.

— Est-ce que je peux garder le talisman ? demanda-t-elle à Jackie.

— Non !

— Tu n'es vraiment pas drôle !

Paco s'approcha du catcheur.

— El Toro Fuerte ?

Celui-ci baissa la tête, honteux de s'être fait battre par Tohru.

— Voulez-vous m'apprendre à me battre comme vous ? lui demanda le petit Mexicain.

— Tu parles sérieusement ? Eh bien, si tu veux. Avec toute la sagesse que m'a apportée l'expérience, je ferai de mon mieux.

— Vous êtes vraiment le meilleur, déclara Paco tout joyeux.

— Ah non ! (Jade tapa du pied.) C'est Jackie !

— Non, El Toro.

— Jackie !

— El Toro !

— Jackie !

Jackie contempla sa nièce en souriant. Peu importait qui était le meilleur.

Il était content d'avoir retrouvé le talisman du bœuf et surtout d'avoir empêché la Main Noire de s'en emparer.

Chers amis,

Dans *Le masque d'El Toro*, Jade me demande de combattre El Toro. Elle veut que je montre à tous combien je suis fort. Mais je lui réponds : « Il ne faut jamais se battre pour le plaisir. »

Je l'ai appris très tôt. Le courage n'est pas la force physique dont on fait preuve mais la sagesse que l'on possède au fond de soi.

Vous ne le croirez pas, mais j'adorais les bagarres. Je saisissais n'importe quel prétexte pour défier mes camarades de classe et ceci jusqu'à nos premiers cours d'arts martiaux.

J'ai beaucoup apprécié les leçons de notre maître. Il nous a enseigné l'auto-défense. Il ne nous a jamais appris à attaquer. Il nous montrait seulement comment analyser une situation et y réagir.

Il répétait que ce sont les lâches qui se battent sans motif. J'ai mis un certain temps à le comprendre. Mais il avait raison.

J'ai vite constaté que chaque fois que je me battais dans la cour de récréation, quelqu'un se faisait mal. Moi le premier ! Et il ne sortait jamais rien de bon de ces bagarres.

Même maintenant, quand vous me voyez affronter les hommes de la Main

Noire, ce n'est jamais moi qui ouvre les hostilités. Parce que je me souviens des préceptes de mon maître.

Ce sont les lâches qui se battent. Je ne suis pas un lâche. Et je parie que vous non plus.

Je vais vous confier un autre secret. Quand vous lirez *Les aventures de Jackie Chan* ou regarderez mes films, vous remarquerez que mes combats ont quelque chose de particulier : quand je reçois un coup, je crie « aïe ! ».

Je ne suis pas un super héros. Je suis un être humain, exactement comme vous. On se fait toujours mal quand on se bat et je voudrais que personne ne l'oublie.

Jackie Chan

Tu aimes

LES AVENTURES DE

JACKIE CHAN

**Alors tourne vite la page
et découvre un extrait de**

Pas vu, pas pris

Des livres plein les poches, POCKET *jeunesse* des histoires plein la tête

[…]

— Je vous en prie, confiez-moi le talisman du serpent, suppliait Jackie Chan. Il a une valeur inestimable. Il n'est pas à l'abri ici ! La Main Noire tentera de vous le voler tôt ou tard.

— Je vous remercie, monsieur Chan, répondit le directeur du grand musée new-yorkais. Mais sachez que nous venons de renforcer notre système de sécurité pour assurer la protection du Puma Rose, un diamant célèbre dans le monde entier.

Il lui montra une autre stèle sur laquelle trônait l'énorme joyau protégé par une cloche de verre.

— Qu'il est gros ! Il doit valoir une fortune !

— En effet. Et si nous sommes capables de garder un tel diamant, nous devrions pouvoir veiller également sur le talisman.

Jackie secoua la tête. Cet homme n'imaginait pas combien la Main Noire pouvait se montrer rusée… et dangereuse.

— Mais vous ne comprenez pas, insista-t-il. Le talisman possède une telle puissance qu'il suscite la convoitise des gens les plus redoutables.

— Vous vous inquiétez sans raison. Je vous souhaite une bonne journée, monsieur Chan.

Sur ces mots, le directeur tourna les talons.

— Génial ! s'exclama Jackie en se dirigeant vers la sortie du musée. Pourquoi ne me croit-on jamais quand je…

Plongé dans ses pensées, il bouscula un visiteur. Quelque chose tomba de la veste de celui-ci et se brisa sur le sol.

— Oh, je suis vraiment désolé ! J'ai cassé votre appareil photo !

Jackie se précipita pour ramasser les morceaux. Et ce qu'il vit ne fit que confirmer son intuition. C'était un appareil d'espionnage !

— Chan ! grommela l'inconnu qui s'enfuit sans demander son reste.

Jackie releva la tête et reconnut alors Ratso, l'un des hommes de la Main Noire.

Pendant ce temps, une scène qui ne présageait rien de bon se déroulait dans le musée. Une jeune femme aux longs cheveux noirs, coiffée d'un large chapeau, observait le Puma Rose, qui brillait de tous ses feux sous sa cloche de verre.

La visiteuse effleura machinalement une broche épinglée à son manteau. Un bruit à peine perceptible se fit entendre.

Clic. Clic. Clic. Le minuscule appareil dissimulé dans l'attache photographiait le célèbre bijou.

« Bientôt, il m'appartiendra », se réjouit-elle intérieurement.

[…]

Jackie sortit du musée en trombe, à la poursuite de Ratso. Le gangster, qui ne l'avait pas attendu, s'enfuyait en bousculant les passants.

Il fendit la foule à son tour. Mais au moment où il allait le rattraper, Ratso s'engouffra dans une ruelle et escalada la grille métallique qui en interdisait l'accès.

Jackie prit son élan, franchit l'obstacle d'un saut périlleux et atterrit devant Ratso qui lui décocha aussitôt un coup

de poing. Jackie l'esquiva sans problème. Il saisit la veste de son adversaire par un pan et la rabattit sur la tête
du voyou.

— Ahh ! hurla celui-ci en se débattant.

Jackie le fit tourner comme une tou-
pie mais la veste se déchira et lui resta
dans les mains. Ratso en profita pour
prendre ses jambes à son cou.

Dring ! C'était la veste qui sonnait.
Le jeune homme, surpris, mit quelques
secondes à comprendre de quoi il s'agissait.

Il fouilla dans les poches de la veste
et trouva le téléphone portable. Il l'ouvrit d'un geste sec.

— Euh… ouais ! bougonna-t-il en
tentant d'imiter le voyou de son mieux.

— As-tu rempli ta mission, Ratso ?
demanda une voix mielleuse.

Jackie faillit laisser tomber l'appareil. C'était Valmont, le chef de la Main Noire !

— Euh… Ouais.

— C'est parfait. Nous volerons le talisman ce soir, à minuit.

— Ce soir ?

— Ça pose un problème, Ratso ?

— Euh… non, non, patron. Pas du tout.

Jackie coupa la communication.

Il devait trouver un moyen de sauver le talisman, et vite !

Dans la même collection

LES AVENTURES DE
JACKIE CHAN

Des livres plein les poches, **POCKET** *jeunesse* des histoires plein la tête

Composition : Francisco *Compo*
61290 Longny-au-Perche

Impression réalisée sur Presse Offset par

BRODARD & TAUPIN

GROUPE CPI

La Flèche (Sarthe), le 14-11-2002
N° d'impression : 16008

Dépôt légal : janvier 2003

Imprimé en France

 12, avenue d'Italie • 75627 PARIS Cedex 13

Tél. : 01.44.16.05.00